絵：松藤《まつふじ》音《ね》色《いろ》

はじめに

この曲集には、それぞれの場所で発表されて歌われたりCD化された37曲の歌が収められています。

童謡を中心に、コーラス、抒情歌、歌曲が組み込まれております。

曲集の刊行にあたり、作詞の私のみならず作曲者のお一人お一人がそれぞれの一曲一曲に、熱く深い思いを込められ、夢や希望を託した歌の数々です。

一人でも多くの方に一曲でも多く口ずさんでいただき、皆様の心に届き、愛され育てていただくことができれば、この上ない喜びです。

出版に際し、ご理解とご尽力をいただきました関係者の皆様に、心より御礼申し上げます。

2020年3月　田沢 節子

＊一部の歌をCDにして差し込んであります。

目　次

童謡

コーラス

抒情歌

わき水ぷっくん

田沢節子　作詞
早川史郎　作曲

♩≒96
mf
mp
(小音符は２番)
1.つ ち の ー　な か か ら ー ー　ぷっ く ん　ぷ
2.す な を ー　お し あ げ ー ー　ぷっ く ん　ぷ
mp
mf
く ー ん　わ い て い る　き よ ら か な ー　み
く ー ん　わ い て く る　う つ く し い ー　み
mf
mp
ず　み ず　ぷっ く ん
ず　み ず　ぷっ く ん
mp

espressivo
ぽ こ ぽ こ ー め を だ す よ う に
ぽ こ ぽ こ ー は な さ く よ う に
mf espressivo
わ き み ず は
わ き み ず は
p
poco a poco cresc. e accel.
い き て る ー よ ろ こ び ー ー し っ て い る ー ー
つ な が る ー し あ わ せ ー ー し っ て い る ー ー
poco a poco cresc. e accel.
a tempo
mf
1.
き ぼ う を ー だ い て ー ぷ っ く ん ぷ
ひ か り を ー の せ て ー
a tempo
mf
5

く ー ん
mf
poco a poco dim.
2.
ぷっ くん ぷ く ー ん
mp
mf
rit. e dim. - - - - - a tempo rit. - - - - 𝅗𝅥. ≒56
f
ひ か り を ー
の せ て ー
ぷっ くん ぷ く
rit. e dim. - - - - - a tempo rit. - - - - 𝅗𝅥. ≒56
f
mf
dim. - - - - - - - - rit. - - - - - - - - -
ー ー ー ー ん
rit. - - - - - - - -
dim. - - - - - - -
mp

まほうのことば

田沢節子

私がまよっていると
ママがきまって　いうことば
「だいじょうぶ」「だいじょうぶ」
なんだか　勇気がわいてくる
元気になれる　ふしぎなことば
「だいじょうぶ」「だいじょうぶ」

私がこまったときに
こっそりとなえる　このことば
「だいじょうぶ」「だいじょうぶ」
だんだん　消えてくドッキドキ
元気になれる　おまじないなんだ
「だいじょうぶ」「だいじょうぶ」

だれかが泣いていると
そばでやさしく　いうことば
「だいじょうぶ」「だいじょうぶ」
にっこり　笑ってうなづいた
仲良くなれる　ふしぎなことば
「だいじょうぶ」「だいじょうぶ」

わき水ぷっくん

田沢節子

つちの　なかから
ぷっくん　ぷくん
わいている
きよらかな　水
ぷっくん　ぽこぽこ
めをだすように
　わき水は
いきている　よろこび
しっている
きぼうを　だいて
ぷっくん　ぷくん

すなを　おしあげ
ぷっくん　ぷくん
わいてくる
うつくしい　水
ぷっくん　ぽこぽこ
はなさくように
　わき水は
つながる　しあわせ
しっている
ひかりを　のせて
ぷっくん　ぷくん

まほうのことば

田沢節子　作詩
たま・みゆき　作曲

♩=104 明るくやさしさをもって
F E A D G
mf
C F C G C Dm
1.わ た し が まよっ て い る と
2.わ た し が こまっ た と き に
3.だ れ か が ない一 て い る と
はぎれよく
Dm G F A7
ママ が き まっ て いう こ と ば
こっ そ り と なえ る この こ と ば
そ ば で や さ し く いう こ と ば
「だい じょう ぶ」
「だい じょう ぶ」

D G C A7 Dm D
なんだかゆうきがわいてくる げんきになれる ふしぎなことーば
だんだんきえてくドッキドキ げんきになれる おまじないなんだ
にっこりわらってうなづいた なかよくなれる ふしぎなことーば
1. 2. 3.
G C Dm
「だいじょうぶ」「だいじょうぶ」 ふしぎなことば
Dm D G C G
まほうのことば だいじょうぶ だいじょうぶ だいじょうぶ
G C G C G C
だいじょうぶ だいじょうぶ
8va
f

忘れられただるまさん

田沢節子　作詞
たま・みゆき　作曲

♩=112
G B7 E A D
mf
D D
mf
1. かためのまんまの
2. かためのまんまの
3. りょうめのそろった
だるーまさん
Em A G B7
かぞくみんなにわすれられ
いつになってもたなのうえ
だけどもうすぐどんどやき
f
あるひとつぜん
ほこりちらして
なんでもやすと
E A D Em E A D A
おこりだす
りょうめをよこせと
おれさまこここだと
かためはいらんと
おこりだす
プン プン

A G D B7
mf
ププン ププーン
まっかになって ふくれているけど
じだんだふんで あばれてみたいーけど
まっかになって ひのーこパチパチ
Em E7 to Φ A D
もともとあかいから わからない
でもでもあしがない りょうてもない
ごめんねだるまさ
D
Φ Coda A E G A
meno mosso
んだけど ありが
Em D G A G A7 D
とう

忘れられただるまさん

田沢節子

片目のまんまの　だるまさん
家族みんなに　忘れられ
ある日とつぜん　おこりだす
両目をよこせと　おこりだす
プンプン　ププン　ププーン
まっかになって　ふくれているけど
もともと赤いから　わからない

片目のまんまの　だるまさん
いつになっても　たなの上
ほこりちらして　おこりだす
おれさまここだと　おこりだす
プンプン　ププン　ププーン
じだんだふんで　あばれてみたい
でもでも足がない　両手もない

両目のそろった　だるまさん
だけどもうすぐ　どんど焼き
なんでもやすと　おこりだす
片目はいらんと　おこりだす
プンプン　ププン　ププーン
まっかになって　火の粉パチパチ
ごめんねだるまさん　だけどありがとう

一輪ざし

童謡・コーラスから 抒情歌まで

私の おばあちゃん

田沢節子　作詩
Michael Ujiie　作曲

♩≒106
mp
mp
(小音符は3番)
1.わたしのわたしの　おばあちゃん　ゆうやけーぞらを　みるのがすきね
2.わたしのわたしの　おばあちゃん　つきよのーそらを　みるのがすきね
3.わたしのわたしの　おばあちゃん　あお　いおそらを　みるのがすきね
mp
mf
(小音符は２番)
かおがあかく　そまってー　おばあちゃんも　ひかって　て
おばあちゃんが　あるくとー　おつきさんも　ついていく
ひろいそらを　みながらー　せなかのばし　しんこ　きゅ
mf
cresc.
(小音符は3番) f
to Φ
る　ゆうやけぞらみたいにー
よ　つきをおんぶしているー
う　きょうもーまたえがおでー
(小音符は3番)
f

1.
2.
mf
あたた か い
みたい だ ね
D.S.
Coda
たのし そ う

私の おばあちゃん

田沢節子

私の私の　おばあちゃん
夕焼け空を　見るのがすきね
かおが赤く　そまって
おばあちゃんも　光ってる
夕焼け空みたいに　あたたかい

私の私の　おばあちゃん
月夜の空を　見るのがすきね
おばあちゃんが　あるくと
お月さんも　ついていくよ
月をおんぶしている　みたいだね

私の私の　おばあちゃん
青いお空を　見るのがすきね
広い空を　見ながら
せなかのばし　しんこきゅう
今日もまたえがおで　たのしそう

おやつをつくろ

田沢節子　作詩
佐藤一美　作曲

♩=116 うきうきとして
1.くだものいろいろ
2.ほかにもいろいろ
3.まだまだいろいろ
♩=116 うきうきとして
8va
gliss.
(小音符は３番)
いちごに　バナナ
おこなに　たまご
ホイップにジャム
おやつをつくって　みましょうね
おいしいクレープ　つくりましょうね
いろいろつつんで　みましょうね
(小音符は２番)
エプロンかけて
じょうずにやいてね
きれいにのせて
じゅんびをしたら
まあるくうすく
たたんでまいて
(小音符は３番)
みんなかわいい
きいろいきじの
とんがりクレープ

to 𝄌
（小音符は２番）
1.
パ ティ シ エ です　せん せ い ど う ぞ　お し え て ね
で き あ が り　バ ニ ラ の に お い
で き あ が り
8va
2.
お い し そ う
D.C.
𝄌 Coda
み ん な そ ろ っ て さあ めしあがれ
8va bassa

おやつをつくろ

田沢節子

くだものいろいろ　いちごにバナナ
おやつをつくって　みましょうね
エプロンかけて　じゅんびをしたら
みんなかわいい　パティシエです
せんせいどうぞ　おしえてね

ほかにもいろいろ　おこなにたまご
おいしいクレープ　つくりましょうね
じょうずにやいてね　まあるくうすく
きいろいきじの　できあがり
バニラのにおい　おいしそう

まだまだいろいろ　ホイップにジャム
いろいろつつんで　みましょうね
きれいにのせて　たたんでまいて
とんがりクレープ　できあがり
みんなそろって　さあ　めしあがれ

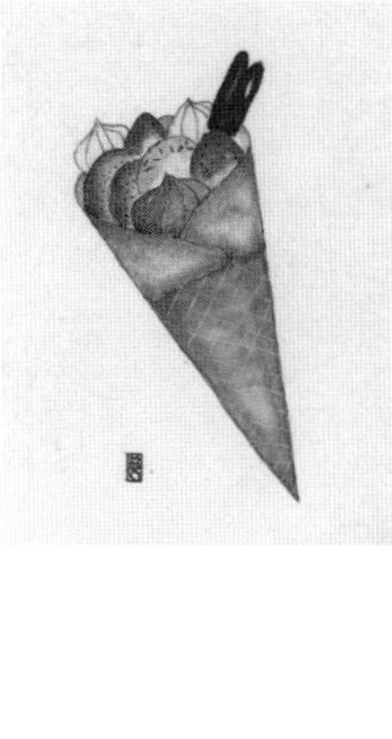

ピーマン坊主

田沢節子　作詩
氏家晋也　作曲

♩=152
mf
mf
1. ぼ くは つ る つ る の ピー マン ぼ う ず
2. ぼ くは ぴ か ぴ か の ピー マン ぼ う ずず
3. ぼ くは つ る つ る の ピー マン ぼ う ず
な つの た い よう にー み が か れ て
チ ンジャ オ ロ ース ーー や き そ ば で
す ぶた に に くづ めー い た め も の
む く む くっ と ふ く ら ん だ
むす くる むす るっ とと ささ くら のの うう ええ
こ そ こ そっ と さ ら の す み

えいようまんてんー
みどりがあざやかー
にがいとはじかれー
おいしいピーマン
おいしいピーマン
かなしいピーマン
さ
さ
さ
でもねなぜかー
ででもねなぜかー
でもねこっそりー
1. 2.
こどもにきらわれる
りょうりのわきやくさ
3.
しぶとくまぎれこむ
rit.

ピーマン坊主

田沢節子

ぼくは　つるつるの　ピーマン坊主
夏の太陽に　みがかれて
むくむくっと　ふくらんだ
栄養満点　おいしいピーマンさ
でもね　なぜかこどもに　嫌われる

ぼくは　ぴかぴかの　ピーマン坊主
チンジャオロースー　やきそばで
するするっと　皿の上
緑があざやか　おいしいピーマンさ
でもね　なぜか料理の　脇役さ

ぼくは　つるつるの　ピーマン坊主
酢豚に肉詰　炒め物
こそこそっと　皿のすみ
にがいとはじかれ　かなしいピーマンさ
でもね　こっそりしぶとく　まぎれこむ

もったいないおばけ

田沢節子　作詩
佐藤一美　作曲

♩≒96
1. あら　もっ たい ない　たべ
もっ たい ない　だい
8va bassa
(こわいろをかえて)
(声をもとにもどして)
ものを そまつにし た ら もっ たい ない おば けが でて くる よ　おば
こんに にんじんの か わ もっ たい ない おば けが くる まえ に　おば
あ ちゃん の こ と ば に よ わ い ぼ く のこ し た おかずをいそいでた べ
あ ちゃん は さ さ さ と な べ に い れ えい よ う まんてんおいしいお か

る 2.あら ず もっ たいない おばけってどこにいる?
どん なおばけ? おば あちゃん の めがひ かーーーった それ
は きっ ときっと おりょう りじょう ずの… あら もったい ない もったいない

もったいないおばけ

田沢節子

あら　もったいない
食べ物を　そまつにしたら
もったいないおばけが　出てくるよ
おばあちゃんの言葉に　弱いぼく
残したおかずを　急いで食べる

あら　もったいない
大根に　にんじんの皮
もったいないおばけが　来る前に
おばあちゃんはささっと　なべに入れ
栄養満点　おいしいおかず

もったいないおばけって　どこにいる?
どんなおばけ?
おばあちゃんの目が　光った
それはきっと　きっと　お料理上手の…
あら　もったいない　もったいない

帽子でハッと

田沢節子　作詞
矢賀部竜成　作曲
加藤朋子　採譜

♩=52
mp
mf
1.ママ　はぼうし　の　デザイ　ナー
2.ママ　はぼうし　の　デザイ　ナー
3.ママ　はぼうし　の　デザイ　ナー
ママ　のてか　ら　うまれるぼうし　ベール　とおはな　の
いろと　りどり　の　ぼうしがならぶ　ベレー　にブルト　ン
ママ　とペア　の　わたしのぼうし　はなび　らみたい　な
ウェディング・ハッ　ト　おしゃれ　で　おすま　し　すてきなぼうし
クロー　シュ・トー　ク　せかい　で　ひとつ　の　てづくりぼうし
ピン　クの　リボ　ン　おしゃれ　で　かわい　い　おでかけぼうし

ママ の くち ぐ せ それ は それ は ね
ママ の くち ぐ せ それ は それ は ね
わたし の くち ぐ せ ママ と おんなじ
「ぼうし で あっ と いわせ たい」 「ぼうし で ハッ と
「ぼうし で あっ と いわせ たい」 「ぼうし で ハッ と
「ぼうし で あっ と いわせ たい」 「ぼうし で ハッ と
1. 2.
3.
いわせ たい」
いわせ たい」
いわせ たい」
8va
p

帽子でハッと

田沢節子

ママは帽子の　デザイナー
ママの手から　生まれる帽子
ベールとお花の　ウェディング・ハット
おしゃれでおすまし　素敵な帽子
ママの口癖　それは　それはね
「帽子で　あっと　言わせたい」
「帽子で　ハッと　言わせたい」

ママは帽子の　デザイナー
色とりどりの　帽子が並ぶ
ベレーにブルトン　クローシュ・トーク
世界でひとつの　手作り帽子
ママの口癖　それは　それはね
「帽子で　あっと　言わせたい」
「帽子で　ハッと　言わせたい」

ママは帽子の　デザイナー
ママとペアの　私の帽子
花びらみたいな　ピンクのリボン
オシャレでかわいい　おでかけ帽子
私の口癖　ママと　同《おんな》じ
「帽子で　あっと　言わせたい」
「帽子で　ハッと　言わせたい」

あんよは『ふ』の字

田沢節子

ふ・ふ・ふの字は
　ペンギンさんのあんよです
おしりをぷ　おなかをぷ
羽を広げて　バランスとって
ふ・ふ・ふ・ふ　つまずかないで
あんよの先には　大きなふの字
ママといっしょに　海に飛ぶ
　ふっふっ　ふーっ

ふ・ふ・ふの字は
　カルガモ親子お散歩よ
おしりをぷ　もいちどぷ
ママのうしろを　ひっしに歩く
ふ・ふ・ふ・ふ　一列になって
列からはなれた　寄り道ふの字
ママのひなどり　十一羽
　ふっふっ　ふーっ

ふ・ふ・ふの字は
　あかちゃんのあんよです
おしりをぷ　おなかをぷ
二本のうでで　バランスとって
ふ・ふ・ふ・ふ　ころばぬように
あんよの先には　ひらひらおてて
ママの笑顔が　待ってます
　ふっふっ　ふーっ

あんよは『ふ』の字

田沢節子　詩
村尾義晴　作曲
猪股義周　編曲

ふふふのじは
ペンギンさんのあんよです　おしりをぷ
カルガモおやこおさんぽよ　おしりをぷ
あかちゃんのあんよです　おしりをぷ
おなかをぷ　はねをひろげてー　バランスとって　ふふふふ
もいちどぷ　ママのうしろをー　ひっしにあるく　ふふふふ
おなかをぷ　にほんのうーでで　バランスとって　ふふふふ
つまずーかないで　あんーよの　さきーには　ーおおきな　ふのじ
いちれつになって　れつからは　なーれたー　ーよりみち　ふのじ
ころばーぬように　あんーよの　さきーには　ーひらひら　おてて
ママと　いーっしょに　うみにとぶ
ママの　ひなーどり　じゅういっぱ
ママの　えがーおが　まってます
ふっふっふーっ

子ども太鼓

田沢節子　作詞
矢賀部竜成　作曲
加藤朋子　採譜

mf
1. こ ど もだい こ そろいうち バチがとぶ
2. こ ど もだい こ そろいうち ドン ドン ド ド ドン あせがとぶ
3. こ ど もだい こ そろいうち いきがとぶ
mf
いけ のりゅうが とびおきる エイ ヤー ソイヤー ドン ドン タッタッタ
やま にどとう うちつける エイ ヤー ソイヤー ドン ドン タッタッタ
にわ のくさき ふるえだす エイ ヤー ソイヤー ドン ドン タッタッタ
そらたかく ぐんぐんすすむ のぼりりゅう
みねたかく うねるよこだま うちくらべ
つちふかく じひびきはしり からみあう
f
こども だいこは ちからのたいこ ねじりはちまき そろいの はっ
こども だいこは はげしいリズム あしをふんばる せすじが はね
こども だいこは よあけのたいこ ほこりけだかく あさひが のぼ
f

子ども太鼓

田沢節子

子ども太鼓　そろい打ち
ドンドンドドドン　バチが飛ぶ
池の竜が　飛び起きる
エイヤー　ソイヤー　ドンドン
タッタッタ
空高く　ぐんぐん進む
のぼり竜
子ども太鼓は　力の太鼓
ねじり鉢巻　そろいのはっぴ

子ども太鼓　そろい打ち
ドンドンドドドン　汗が飛ぶ
山に怒濤　打ちつける
エイヤー　ソイヤー　ドンドン
タッタッタ
峰高く　うねるよこだま
打ちくらべ
子ども太鼓は　激しいリズム
足を踏ん張る　背筋がはねる

子ども太鼓　そろい打ち
ドンドンドドドン　意気が飛ぶ
庭の草木　震えだす
エイヤー　ソイヤー　ドンドン
タッタッタ
土深く　地響き走り
絡み合う
子ども太鼓は　夜明けの太鼓
誇り気高く　朝日がのぼる

一輪ざし

童謡・コーラスから 抒情歌まで

アルパカ

田沢節子　作詩
佐藤一美　作曲

Allegro ♩≒160
mf
f
1.アルパカ　アルパカってながいくび　ぱっちりおめめに
2.アルパカ　アルパカっておだやかね　やさしいえがおの
3.アルパカ　アルパカってフーンフン　あまえたこえして
mf
to Φ
もふもふ　ふかふかのくも　みたいなけをしているよ
アルパカ　スマイルでほら　のんびりみんなをみてる
スキップ　ルンルンルたの　3番(しそうには)
D.C.

Coda
mp
mf
しっている よ
アルパカ
アルパカ かわいいーね
f
ff
なかよし したいな
sf
8va bassa

アルパカ

田沢節子

アルパカ　アルパカって
長いくび
ぱっちりお目めに
もふもふ　ふかふかの
雲みたいな毛をしているよ

アルパカ　アルパカって
おだやかね
やさしい笑顔の
アルパカスマイルで
ほら　のんびりみんなを見てる

アルパカ　アルパカって
フーンフン
あまえた声して
スキップルンルンル
たのしそうに走っているよ

アルパカ　アルパカ
かわいいね
なかよししたいな

おへそのうた

田沢節子　作詞
浅井和夫　作曲

♩=100くらい　おもしろく 語るように
mf
poco rit.
a tempo
poco rit.
mf
(小音符は２番)
1.お か あさん　が　いっー ー たよ　ー ー　ぼく が　スイカ を
2.お と うさん　が　いっー ー たよ　ー ー　あの ね　おへそ は
す き な の は　おか ー ーさん　の　お な　か に　い　る と きー
だ い す き な　おか ー ーさん　の　お な　か に　い　た し るー

(小音符は２番)
(V)
に おかーあさん が いっぱいいっ ぱい たべたから お へ そ で
し おかーあさん と しっかりしっ かり つながって お へ そ で
(小音符は２番)
3
(V)
つながっ て ぼく もたべ て い た ーからだっ て ほんとかな
ピピピッ て いつ もこー う し ん ーしてたっ て ほんとかな
なんだかきになる お へ そ おへー そー お・へ・そー
なんだかうれしい お へ そ おへー そー お・へ・そー
mf

おへそのうた

田沢節子

お母さんが言ったよ
ぼくが　スイカを好きなのは
お母さんのおなかに
いる時に
お母さんが　いっぱいいっぱい　食べたから
おへそでつながって
ぼくも　食べていた　からだって
ほんとかな
なんだか　気になる
おへそ　おへそ　お・へ・そ

お父さんが言ったよ
あのね　おへそは大好きな
お母さんのおなかに
いたしるし
お母さんと　しっかりしっかり　つながって
おへそでピピピッて
いつも　こうしん　してたって
ほんとかな
なんだか　うれしい
おへそ　おへそ　お・へ・そ

ざくろの実

田沢節子

庭の木の枝　ざくろの実
丸い実　はじけて
プチプチプチプチ　プチップチッ
つやつや赤い種　顔だした

おちょぼ口の　ざくろの実
夕日が　みつけて
プチプチプチプチ　シュルルルル
甘くてすっぱい　汁吸った

庭の木の枝　ざくろの実
小鳥が　舞い降り
プチプチプチプチ　チュンツクツ
はじけた実の中　のぞいてる

ざくろの実

田沢節子　作詞
藤元薫子　作曲

Moderato ♩≒92 はずんで
mf
cresc.
f
mp
1. に わ の き のえだ ざ く ーろ の み
2. お ちょ ぼ ぐ ーちの ざ く ーろ の み
3. に わ の き のえだ ざ く ーろ の み
まるい み はじけて プチ プチ プチ プチ プチッ プチッ
ゆうひ が みつけて プチ プチ プチ プチ シュル ルルル
ことり が まいおり プチ プチ プチ プチ チュン ツクツ
つやつやあかいた ね かおだし た かおだした ー
あまくてすっぱー い しるすっ た しるすった ー
はじけたみのなー か のぞいて る のぞいてる ー

折り紙

田沢節子　作詞
矢賀部竜成　作曲
加藤朋子　採譜

♩=114
mf
mf
1. お り が み い ろ い ろ　あ か あ お き い ろ
2. お り が み い ろ い ろ　あ か あ お き い ろ
3. お り が み い ろ い ろ　あ か あ お き い ろ
mf
つ る ー を つ く っ て　み ま しょ う ね　じょ う ず に おっ て ね
あ じ さ い の は な つ　く り ま しょう ね　き れ い に おっ て ね
か わ い い こ ば こ つ　く り ま しょう ね　き ち ん と おっ て ね

さんかくしかく　はねーをひろげた　つるさんば
さんかくしかく　おおきなはなーが　さきました
さんかくしかく　ふたつきこばーこ　できました
1. 2.
3.
ゆうやけぞらに　とんでった　いれました
しとしとあめが　ふってきた
ビーだまひとつ

折り紙

田沢節子

折り紙いろいろ　赤　青　黄色
鶴をつくって　みましょうね
上手に折ってね　三角四角
羽を広げた　鶴三羽
夕焼け空に　飛んでった

折り紙いろいろ　赤　青　黄色
あじさいの花　つくりましょうね
きれいに折ってね　三角四角
大きな花が　咲きました
しとしと雨が　降ってきた

折り紙いろいろ　赤　青　黄色
かわいい小箱　つくりましょうね
きちんと折ってね　三角四角
ふたつき小箱　できました
ビー玉ひとつ　入れました

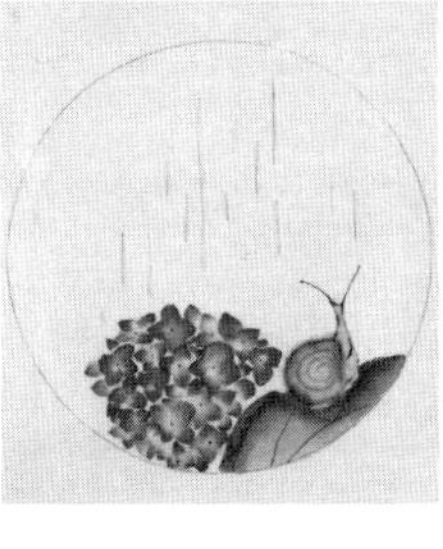

そよ風の子守歌

田沢節子　作詞
藤元薫子　作曲

Andantino（♩≒80）やさしく
mf
1.な
2.そ
Andantino（♩≒80）やさしく
mf
mp
（小音符は２番）
なつの　うみ　めぐるそよ　かぜが　カタ　カタカタ
びえる　やま　めぐるそよ　かぜが　コト　コトコト
mf
mp
cresc.
まど　ゆする　さざな　みにゆられながら　きこえて　くるのは
まど　たたく　さわや　かなかぜにのって　きこえて　くるのは
mp
cresc.

ー か あ さん の こ も り う た し お ー の か お り が の こ る
ー か あ さん の こ も り う た く さ ー の か お り が の こ る
こ ど も の て を ー ー さ す り な が ら ね ん ね ねん ね ん ねん
こ ど も の か み を ー ー と か し な が ら ね ん ね ねん ね ん ねん
こ ろ ろ ね ん ね ねん ね ん ね ん ね ん よ ー
こ ろ ろ ね ん ね ねん ね ん ね ん ね ん よ ー
cresc.
poco a poco cresc.
poco a poco cresc.

そよ風の子守歌

田沢節子

七つの海めぐる　そよ風が
カタ　カタ　カタ
窓　ゆする
さざなみに　ゆられながら
聞こえてくるのは　母さんの子守歌
潮のかおりが残る　子どもの手を
さすりながら
ねんね　ねんねん　ねんころろ
ねんね　ねんねん　ねんねんよ

そびえる山めぐる　そよ風が
コト　コト　コト
窓　たたく
さわやかな　風にのって
聞こえてくるのは　母さんの子守歌
草のかおりが残る　子どもの髪を
とかしながら
ねんね　ねんねん　ねんころろ
ねんね　ねんねん　ねんねんよ

タヌキねこ

田沢節子　作詞
浅井和夫　作曲

Moderato ♩=72くらい
mp
mf
poco rit.
表情豊かにはずむように
a tempo
mf
1.の ら ね こ
2.の ら ね こ
ー し ろちゃん い しー の ー うえで お ひー る ね
ー し ろちゃん ひ ざー し ー あびて お ひー る ね

おひーるね　だけどみみを　ピクピク
おひーるね　だけどひげを　ピクピク
しっーぽ　パタパタ　タヌキねいり　しているよ
はなを　ヒクヒク　タヌキねいり　しているよ
（小音符は２番）
よ　しているよ　こっそりみていた
よ　しているよ　そっーとちかよる
ら　かためをゆっくりひらーいて
と　にんじゃのようにすばーやく

mf
（小音符は２番）
ギ ロー リ ギロリ ギ ロー リ ギロリ に ら ま れ
ひ らー り ひらり ひ らー り ひらり に げ て
mf
poco rit.
やさしく ゆったりと (a piacere)
た ー ー よ ー
いっー ー た ー
poco rit.
mp
mp
の ら ね こ し ろ ちゃん タ ヌ
キ ね こ ー こ こ に き て

ぐっ す り ぐ っ す り お や す み
(V)
poco rit.
よ ー まもっ て あ げ る か ら ー
(V)
poco rit.

タヌキねこ

田沢節子

のらねこ白ちゃん
石の上で　お昼ね
だけど耳を
ピクピク
しっぽパタパタ
タヌキねいり　しているよ
こっそり見ていたら
片目をゆっくり　ひらいて
ギロリ　にらまれたよ

のらねこ白ちゃん
日ざしあびて　お昼ね
だけどひげを　ピクピク
鼻をヒクヒク
タヌキねいり　しているよ
そーっとちかよると
にんじゃのように　すばやく
ひらり　にげていった

のらねこ白ちゃん　タヌキねこ
ここにきて
ぐっすり　ぐっすり　おやすみよ
守ってあげるから

てんぐのくしゃみ

田沢節子　作詞
青地秀明　作曲
柄沢喜一　編曲

1.おやまの てんぐが くしゃみした ながい おはなが
2.かぜひき てんぐが くしゃみした さとに でてきて
3.おやまの てんぐが マスクした しろくて ながい
ぷるるーるん ハークション ハークション かぜが うつるぞ
ぷるるーるん ハークション ハークション かぜを うつすな
マスクだよ ハークション ハークション さとの こどもの
さあ にげろ からすが ことりが とんでいく
ちかよるな こどもが こいぬが にげていく
てづくりさ からすが はこんで きてくれた
ひとりぼっちの てんぐーどーん
かわいそーうな てんぐーどーん
うれしそーうな てんぐーどーん

てんぐのくしゃみ

田沢節子

お山のてんぐが　くしゃみした
長いおはなが　ぷるるるん
ハークション　ハークション
かぜがうつるぞ　さあにげろ
からすが小鳥が　とんでいく
ひとりぼっちの　てんぐどん

かぜひきてんぐが　くしゃみした
里にでてきて　ぷるるるん
ハークション　ハークション
かぜをうつすな　ちかよるな
こどもが子犬が　にげていく
かわいそうな　てんぐどん

お山のてんぐが　マスクした
白くて長い　マスクだよ
ハークション　ハークション
里のこどもの　てづくりさ
からすがはこんで　きてくれた
うれしそうな　てんぐどん

なんてんの実

田沢節子

てんてんてん　てんてんてん
お正月に　やってくる
てんてんてんてん　なんてんの実
門松に　生け花に
縁起物の　まっかな実
難を転じて　福となす
しあわせが
てんてんてんてん　私のところへ
てんてんてんてん　みんなのところへ

雪の中で　燃えている
てんてんてんてん　なんてんの実
まっかだね　きれいだね
綿帽子も　すてきだね
ふくらすずめも　見ているよ
ぬくもりが
てんてんてんてん　私のところへ
てんてんてんてん　みんなのところへ
てんてんてん　てんてんてん

なんてんの実

田沢節子　作詩
佐藤一美　作曲

♩=132 うきうきして
f
mf
てん　てん　てん　　てん　てん　てん　1.お　しょう　がつ　に　ー　や
2.ゆ　き　の　な　か　で　ー　も
♩=132 うきうきして
mp
ーっ　て　くる　　てん　てん　てん　て　ん　なん　てん　の　み
え　て　いる　　てん　てん　てん　て　ん　なん　てん　の　み
8va
mf
mp
sf
f
2×(ー)
か　ど　ま　つに　　い　け　ば　な　に　　え　ん　ぎ　も　の　の　ま　ーっ　か　な　み
ま　っ　か　だ　ね　　き　れい　だ　ね　　わ　た　ぼ　う　し　も　す　て　き　だ　ね
8va
mf

Più Andante ♩=84
mp
p
mf
accel.
なんをてんじて ふくとなす しあわせが
ふくらすずめも みているよ ぬくもりが
Più Andante ♩=84
p
pp
mf
gliss.
8va bassa
a tempo
f
てん てん てん てん わたしの ところへ てん てん てん てん み
てん てん てん てん わたしの ところへ てん てん てん てん み
a tempo
mf
sf
んなの ところへ
んなの ところへ てん てん てん てん てん てん
8va

虹色の気球にのって

田沢節子　作詞
塚本一実　作曲

Vivace
p
molto rit.
secco
Allegretto
p
1.に じ い ろ の き きゅ う に の ーっ て
く も の う え に い き た い な に じ の は し を こ え て
ふ わ り ふ わ ふ わ の ぼっ て の ぼっ て
l.h.

くものうえで あそんでみたいな はねてはしっ
ておにごっこ たのしいだろうな
2.にじいろの ききゅうにゆられ
したをみたら どんなかなとりと かぜにのーって ふわり ふわふわ

のぼっ て のぼっ て
く も の うえ
で あ そ ん で み た い
な く も に も ぐっ
て か く れ ん ぼ
み つ け ら れ る か
な
poco rit.

虹色の気球にのって

田沢節子

虹色の気球に　のって
雲のうえに　行きたいな
虹の橋をこえて
ふわり　ふわふわ　のぼって　のぼって
雲のうえで　遊んでみたいな
はねて　走って　おにごっこ
楽しいだろうな

虹色の気球に　ゆられ
下をみたら　どんなかな
鳥と風にのって
ふわり　ふわふわ　のぼって　のぼって
雲のうえで　遊んでみたいな
雲に　もぐって　かくれんぼ
見つけられるかな

パパのおかお

田沢節子

パパのおひげを　くすぐるの
大好きな　わたし
ゴリゴリって　気持ちがいいの
パパは笑って　にげているけど

パパのほっぺを　ひっぱるの
大好きな　わたし
ギュギュギュッて　あそんでふふふ
パパはこまって　にげているけど

パパのおかおに　ぷちゅぷって
キスをする　わたし
チクチクって　しあわせ気分
パパは笑って　てれているけど

パパのおかお

田沢節子　作詩
佐藤一美　作曲

♩≒138 楽しく、わくわくして
♩≒138 楽しく、わくわくして
1.パパの
(小音符は2番)
おひげを くすぐるの だいすきなわたし
ほっぺを ひっぱるの だいすきなわたし
おかおに ぷちゅぷって キスをするわたし
ゴリゴリって きもちがいいの
ギュギュギュッて あそんでふふふ
チクチクって しあわせきぶん

mf
1. 2.
パ パ は わらってー にげているけど 2. パパの
パ パ は こまってー にげているけど 3. パパの
パ パ は わらってー
8va
f
mp
3.
てれているけど
pp
てれているけど
ppp
mf
て れ て い ーるけど
rit.
sf
8va bassa

アイスキャンドル

田沢節子　作詞
中山まり　作曲

8va
1.こなゆきちらちら　ふゆのよる　アイスキャンドル　ゆきまつり
2.かまくらほこほこ　ふゆのよる　アイスキャンドル　ゆきまつり
3.ほしぞらまたたく　ふゆのよる　アイスキャンドル　ゆきまつり
こどものかおを　てらしだす　ゆれるほのおが　みつけたよ　きみ
こどものほほを　なでながら　ゆれるほのおが　かんじたよ　きみ
こどものこえを　ききながら　ゆれるほのおが　いのります　きみ
1. 2.
3.
rit.
のすてきなえがおと　すんだひとみを　と
のこころのぬくもり　ひかるともしび
のこころのローソク　もえつづけろ
rit.

アイスキャンドル

田沢節子

粉雪ちらちら　冬の夜
アイスキャンドル　雪祭り
子どもの顔を　照らしだす
ゆれる炎が　みつけたよ
君のすてきな笑顔と　すんだ瞳を

かまくらほこほこ　冬の夜
アイスキャンドル　雪祭り
子どもの頬を　なでながら
ゆれる炎が　感じたよ
君の心のぬくもり　光るともしび

星空またたく　冬の夜
アイスキャンドル　雪祭り
子どもの声を　聞きながら
ゆれる炎が　祈ります
君の心のローソク　燃え続けろと

いつかきっと

田沢節子

公園の　大きなクヌギの木
なくなっちゃった
切り株だけが　空みてる
小鳥たちが　帰ってきても
木の葉のおふとん　もうないよ

公園の　大きなクヌギの木
なくなっちゃった
草の葉だけが　ゆれている
こどもたちが　走ってきても
木の実のどんぐり　もうないよ

でもね　みつけたよ
切り株から出ている　あおい小さな芽
ひこばえ
いつかきっと　大きくなるね
早く大きくなーれ　なーれ

いつかきっと

田沢節子　作詩
加藤朋子　作曲

♩=100
1. こうえんの　おおきなクヌギ　のき　なく
2. こうえんの　おおきなクヌギ　のき　なく
なっちゃった　きりかぶだけが　そらみてる　こ
なっちゃった　くさのはだけが　ゆれている　こ
とりたちが　かえってきても　このはの　おふとん　もう
どもたちが　はしってきても　このみの　どんぐり　もう

rit.
1.
a tempo
2.
活発に動いて
a tempo
mf
な い よ よ で も ね み つ け た よ き り
な い
p
か ぶ か ら で て い る あ お い ち い さ な め ひ こ ば え い つ か
f
き っ と い つ か き っ と お お き く な る ね は や
rall.
く お お き く な ー れ な ー れ

ありがとうの言葉

田沢節子　作詞
浅井和夫　作曲

♩=72ぐらい あたたかく おおらかに
mf
Ped.
1.「あ
2.「あ
3.「あ
り が と う。」ー っ て い わ れ た ー ーーら
り が と う。」ー ー の ひ と こ と ー ーーが
り が と う。」ー っ て い い あ え ー ーーば

（小音符は３番）
こころのーなかに ひがーともるーー
いえないーときも あるーんだよーー
えがおがひろがり わをーつくるーー
ありがとうーのことーばはー
ありがとうーのことーばはー
ありがとうーのことーばはー
ほんわりとーー あったかいーー
ときどきはーー かくれんぼーー
さわやかなーー かぜをだきーー
やさしくてーー うれしいことーばあ
いえそうでーー いえないことーばす
ひととひとーー つなげることーばこ

1. 2.
なたからのー ありがとうー
なおになってー ありがとうー
こころこめてー ありがと
3.
うー
f
ひととひとーつ
なげることーばこころこめてー
rit.
ありがとうー ありがとうー
mp

ありがとうの言葉

田沢節子

「ありがとう。」って言われたら
心の中に　灯がともる
ありがとうの言葉は
ほんわりと　あったかい
優しくて　うれしい言葉
あなたからの　ありがとう

「ありがとう。」の一言が
言えない時も　あるんだよ
ありがとうの言葉は
時々は　かくれんぼ
言えそうで　言えない言葉
すなおになって　ありがとう

「ありがとう。」って言い合えば
笑顔が広がり　わをつくる
ありがとうの言葉は
さわやかな　かぜをだき
人と人　つなげる言葉
心こめて　ありがとう

オカリナ

田沢節子　作詩
佐藤一美　作曲

♩≒56
ホーホーホーロロピールルル　やさしい　オカリナの　ねが
ホーホーホーロロピールルル　やさしい　オカリナの　ねが
♩≒56
mf
mp
4
f
どこからか きこえてきま す　こと りのかたちをしたつちのふえ
f
どこからか きこえてきま す　こと りのかたちをしたつちのふえ

7
オカリナのねいろが　こ　ころ　に　しみる　の　は　ちきゅ
オカリナのねいろ　が　しみる　の　は　ちきゅ
10
mp
うの　いきものはぐくんで きた　つちだ か ら　ah～　オカリナはホーホーロロ
mp
うの　いきものはぐくんで きた　つちだ か ら　つちだ か　ら　ホー　ホーホーロロ
p
13
f
ff
うたいながら　だいちのこどもを　みまもってい　る　の で　す
f
ff
うたいながらうたいながら　だいちのこどもを　みまもってい　る　の で　す
mf
f
8va

ホーホーホーロロピーホロロ　さみしい　オカリナの　ねが　どこからか　きこえてきま
ホーホーホーロロピーホロロ　さみしい　オカリナの　ねが　どこからか　きこえてきま
てのなかで　あたためーられたつちのふえ　オカリナのしらべが
す　てのなかで　あたためーられたつちのふえ　オカリナのしらべ
オカリナのしらべが　か　な　し　く　ひびくの　は　ちきゅ
が　オカリナのしらべ　か　な　し　く　ひびくの　ひびくのは　ちきゅ

26
う の かぞくのあらそいご とを みてきた か ら ah
オカ リナ は ホーホー ホーロロ
う の かぞくのあらそいご とを みてきた か ら つちだから
オカ リナ は ホーホー ホーロロ

29
うたいなが ら こどものしあわせ いのって いる ので す
うたいなが ら こどものしあわせ いのって いる ので す

オカリナ

田沢節子

ホーホー　ホーロロ　ピールルル
やさしい　オカリナの音が
どこからか　聞こえてきます
小鳥の形をした　土の笛
オカリナの音色が　心にしみるのは
地球の生き物　育んできた
土だから
オカリナは　ホーホーホーロロ　歌いながら
大地の子どもを　見守っているのです

ホーホー　ホーロロ　ピーホロロ
さみしい　オカリナの音が
どこからか　聞こえてきます
手の中で　あたためられた　土の笛
オカリナのしらべが　かなしく響くのは
地球の家族の　あらそいごとを
見てきたから
土だから
オカリナは　ホーホーホーロロ　歌いながら
子どもの幸せ　祈っているのです

ダンス ダンス ダンス

田沢節子　作詞
佐藤一美　作曲

♩≒100
(手拍子)
(手拍子)
f
(小音符は２番)
1.み　な　み　の　　く　に　の
2.せ　か　ー　い　　じゅう　の
♩≒100
f
mf
4
ひ　と　び　と　は　　う　れ　し　い　と　き　に　は　　ダン　スダンース　ダ　ン　ス
ひ　と　び　と　は　　お　と　な　も　こ　ど　も　も　　ダン　スダンース　ダ　ン　ス

7
かなしいときにも ダンスダンースダンス いつでもどこでも
わになりてをとり ダンスダンースダンス だれかがどこかで
かなしいときにも ダンスダンースダンス いつでもどこでも
わになりてをとり ダンスダンースダンス だれかがどこかで
10
mf
おどりだす タイコ カリンバ ターンバリン
おどってる ポップ フォー ーク ジャーズにフ
mf
おどりだす タイコ カリンバ ターンバリン
おどってる ポップ フォー ーク ジャーズにフ
14
f
の リズムに のって ステップ ふめば
ラ リズムに のって ステップ ふめば
f
の リズムに のって ステップ ふめば
ラ リズムに のって ステップ ふめば
f

17
いきるゆうきが わいてくる いろ あざやかな ス
えがおがうまれ たのしそう さあ おどろうよ は
いきるゆうきが わいてくる いろ あざやかな ス
えがおがうまれ たのしそう さあ おどろうよ は
20
カートゆらしーて ダンスダンースダンス ダンスダンースダンス
ずかしがらずに ダンスダンースダンス ダンスダンースダンス
カートゆらしーて ダンスダンースダンス ダンスダンースダンス
ずかしがらずに ダンスダンースダンス ダンスダンースダンス
23
はずむリズムのがっきのー ねいろに のって え が おひろげたいなら
はずむリズムのがっきのー ねいろに のって え が おひろげたいなら

26
おどれば いいさ たのしく なって ー
おどれば いいさ たのしく なって
29
げんき わいてくる さあ みんなも おどろう おど
げんき わいて さあ みんなも おどろう
32
るひとのこころがかさなりー ダン スダンースダ ンス (手拍子) ダン スダンースダンス (手拍子)
かさなり ダン スダンースダ ンス (手拍子) ダン スダンースダンス (手拍子)

ダンスダンスダンス

田沢節子

南の国の人々は
うれしい時には　ダンス　ダンス　ダンス
かなしい時にも　ダンス　ダンス　ダンス
いつでも　どこでも　踊り出す

タイコ　カリンバ　タンバリンの
リズムにのって　ステップふめば
生きる勇気が　わいてくる

色あざやかな　スカートゆらして
ダンス　ダンス　ダンス
ダンス　ダンス　ダンス

世界中の人々は
大人も子どもも　ダンス　ダンス　ダンス
輪になり　手をとり　ダンス　ダンス　ダンス
だれかが　どこかで　踊ってる

ポップ　フォーク　ジャズに　フラ
リズムにのって　ステップふめば
笑顔が生まれ　楽しそう

さあ踊ろうよ　はずかしがらずに
ダンス　ダンス
ダンス　ダンス　ダンス

はずむリズムの　楽器の音色にのって
笑顔広げたいなら　踊ればいいさ
楽しくなって　元気わいてくる
さあ　みんなも踊ろう
踊る人の　心が重なり
ダンス　ダンス　ダンス
ダンス　ダンス　ダンス

コスモスのかおり

田沢節子

白やピンクの　コスモスの花
風にそよいで
ゆらゆら　ゆらり
夏と秋
行ったり来たりの
花の波
すがしさ　あふれ
いとしさ　かおるよ
山の裾野の　コスモスばたけ

べにの花びら　コスモスの花
風にゆられて
ゆらゆら　もわり
過去と今
時をきざむよ
花振り子
夕日を　そめて
さみしさ　かおるよ
山の裾野の　コスモスばたけ

色とりどりの　コスモスの花
霧に包まれ
もわもわ　もわり
遠い夢
時をわすれた
花振り子
まぼろし　ゆれて
人の香　かおるよ
山の裾野の　コスモスばたけ

コスモスの花束
秋の空で包んで
あなたに　あなたに

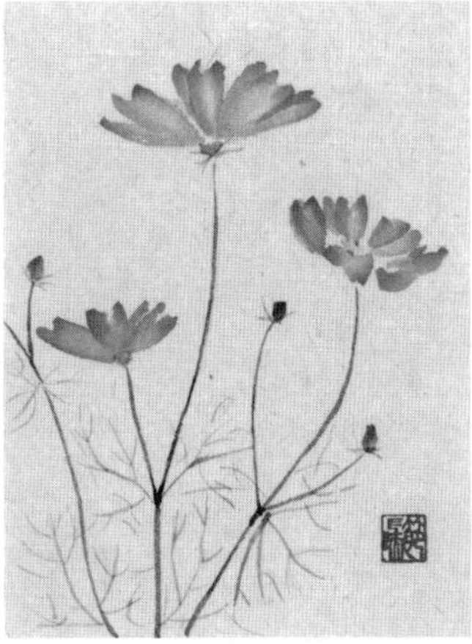

コスモスのかおり

田沢節子　作詩
加藤朋子　作曲

♩=90 やさしくさわやかに
p
lu lu
p
lu lu
♩=90 やさしくさわやかに
8va
p
mp
しろや ピンクの コスモスの はな
mp
u コスモスの はな
mp
かぜに そよいで ゆらゆら ゆらり
u ゆらゆら ゆらり

13
mf
な つと あ き いったりきたり の
mf
な つと あ き いったりきたり の
mf
17
はなの な み
f
す がし さ あ ふれ
は な の なーみー
f
す がし さ あ ふれ
f
21
い とし さ か お る よ
mf
やまーの
い とし さ か お る よ
mf
やまー

poco più mosso
mp
24
すそのの コスモスばたけ べにの
mp
の すそのの コスモスばたけ べ にのべにー
poco più mosso
mp
28
はなびら コスモスの はな かぜに
の はなびら コスモス のはな lu lu lu か ぜ に
32
mf
ゆられて ゆら ゆ らもわり か こと い
mf
ゆられて ゆらゆら もわり もわり かこと い
mf

36
f
ま ときをきざむよ はなふーりこ
まかこといま ときをきざむよ はなふりこ
40
mf
ゆうひをそめて さみしさかおるよ
ゆうひをそめて さみしさかおるよ
44
mp
rit.
やまーの すそののコスモスばたけ
やまーの すそののコスモスばたけ

a tempo
48
mf
いろとりどり の コスモスのはな きりにつつまれ もわもわもわり
mf
いろとり どりの コスモス のはな きりに もわもわもわり
a tempo
mf
52
と お い ゆ め ときをわすれた はなふりこ
と お い ゆめ ゆめ と き を わすれたはなふり
56
f
ま ぼ ろ し ゆ れて ひ と の か かお るよ
f
こ まぼろ し ゆ れて ひとの か かお るよかおる
f

60
mp
rit.
a tempo
やまのすそのの ー コスモスばた け
mp
よ やまのすそのの コスモスばた け
rit.
a tempo
mp
mf
♩=100 明るくさわやかに
65
mf
コスモスの はな たば あきのそらでつつ んで
mf
コスモスの はな たば lu lu lu lu lu あきのそらでつつ んで
♩=100 明るくさわやかに
mf
69
rit.
あなたに あなたに あ な た に ー
あなた に あなた に あ な た に ー
rit.

地球を抱いて

田沢節子　作詞
加藤朋子　作曲

♩=95 明るく元気に
mp
mf
ちきゅうぎ まわしな がらー かんがえ た
せなかにー つばさがー はえ たなら
せか いじゅうの こどもたち みんなでみんなで てをつなぎ

17
は はが こど もを
このちきゅーうを だい てみたい は は が こ ど も を
8va
21
だ く よ う に
だ く よ う に そ し て フライ フライ
f
24
フライ はるか な うちゅ う に と び だ し て うちゅう
27
の は て さ が す たびに で て み よ

lu lu lu
う
ことばは つないだ て の ぬくもり
えがおと かがやく ひ と み みずのかーおり ゆれる
lu lu ひ と み みずのかおり
ざわ めき
ざわめき いきていーるあおいちきゅう だ い て
まわりな がら こえを そろ えて
ま わ り な が ら さ け ぶ ことだ

ろう　ぼく　らはちきゅう　の　こ　ど　も　こ　の　ちきゅうがみんなの
ちきゅうが　ー
ふるさとと　ぼく　らはちきゅう　の　こ　ど　も　こ　の　ちきゅうが　みんなの
みんなの　ふるさと　と　ー

地球を抱いて

田沢節子

地球儀　回しながら
かんがえた
背中に　翼が生えたなら
世界中の　こどもたち
みんなでみんなで　手をつなぎ
この地球を　抱いてみたい
母が子どもを　抱くように

そして　フライ　フライ　フライ
はるかな宇宙に　とびだして
宇宙のはて　さがす旅に
でてみよう
言葉は
つないだ　手のぬくもり
笑顔と　かがやくひとみ

水のかおり　ゆれるざわめき
生きている　青い地球
抱いて　まわりながら
声をそろえて　さけぶことだろう
ぼくらは　地球の子ども
この地球が　みんなのみんなのふるさとと

一輪ざし

田沢節子　作詩
穴原雅己　作曲

♩≒96
p
mp
いちりんーざしは　ね　くちの　ちいさなか　び　ん　はな
mp
legato
を　いちりんだけ　さしーて　テー　ブルの　うえにた　つ

いちりん ざしに きがついたひとーは きれいだね。
rit.
a tempo
かわいいね。 あたたか い ことばのシャワー ひとみのスポッ ト
rit.
a tempo
ライト あびせる いちりんーざしー
の かびんは いちりんのは な を ほん の いっしゅん
legato

mf
テーブルのうえの ヒロインにしたて あげる まじゅつ
し
f
mf
にわのはな を
mp
mf
f
ののはなやまのは な を どんな はなでも
ね
poco rit.
poco rit.
dim.
p

一輪ざし

田沢節子

一輪ざしはね　口のちいさな花びん
花を一輪だけ　さして
テーブルの上に　立つ

一輪ざしに　気がついた人は
きれいだね　かわいいね
あたたかい　言葉のシャワー
瞳のスポットライト　あびせる

一輪ざしの花びんは　一輪の花を
ほんのいっしゅん
テーブルの上の
ヒロインにしたてあげる　魔術師

庭の花を
野の花　山の花を
どんな花でもね

ぶなの木の子守唄

田沢節子

お山の大きな　ぶなの木は
森の仲間の　お母さん
枝を広げて　葉っぱを重ねて
うたうよ
ねんねんころろ　ねんころろ　子守唄
やさしいうた声　ねんころろ

お山の大きな　ぶなの木は
ふところ深い　お母さん
小鳥や子リス　お花を抱いて
うたうよ
ねんねんころろ　ねんころろ　子守唄
緑のゆりかご　ねんころろ

月の光の糸が　夜露をゆらすよ
ねんねんころろ　ねんころろ
お山の子どもよ　夢の国へと
ねんねんころろ　ねんころろ
ぶなの木の　子守唄

ぶなの木の子守唄

田沢節子　作詩
加藤朋子　作曲

♩≒91 やさしく語りかけるように
オルゴールのように
8va
1. おや まのおお きな ぶ なのきは も りのなか まの おか あさん
2. おや まのおお きな ぶ なのきは ふと ころふー かい おか あさん
え だをひろげて はっ ぱをかさねて う た う よ ねん ねんころろ
ことりやこリス おは なをだいて う た う よ ねん ねんころろ
riten. かたりかけるように
ねん ころろ こ もり う た やさしいうたごえ ねん ころ
ねん ころろ こ もり う た みどりのゆりかご ねん ころ
riten.

1.
a tempo
ろ
2.
a tempo
ろ
少し動いて
つ きのひかりの い と が
やさしく
8va
subito mp
よ つ ゆ を ゆ ら す よ
ねん ね ん こ ろ ろ ねん こ ろ ろ
(8va)
mf
おや まのこどもよ ゆ め の く に へ と ねん ねん こ ろ ろ ねん こ ろ ろ
(8va)
mf
mp たっぷりと自由に
ぶ なのきーの ー こ も り う た
poco rall.
(8va)
15ma
mp
poco rall.
8va
pp

歌曲「さくらの花びら」

田沢節子　作詞
塚本一成　作曲

Andante ゆったりとしたテンポで
1.さく
らさくらさくらのつぼみのより
らさくらさくらのはなびらべに
らさくらさくらのはなびらふん
そうはなびらひらくときよろこびのえがおいっ
いろぼんぼりともるときむねふかくはるかなおー
わりまいちりみずのうえみらいへののぞみをのー
ぱいあふれあふれあふれだす
もいわーきあがるわきあがる　さく
せたはーなはーなはないかだ

ら ー さくら ー
うすべにの ー やさしさ
もんわりと ー よぞらそ
ひかりうけ ー ながれゆ
が ー ひと の ー ひと の ー ここ
め ー ひと の ー ひと の ー ここ
き ー ひと の ー ひと の ー ここ
1.
ろ にしみる しみ る は な ー 2. さく
ろ をゆする ゆす る は
ろ をつなぐ つな ぐ は
2.
な ー

3.
p
rit.
(V)
a tempo
3. さ く
な
ー
a tempo
mp
mp
tr
f
※ さ く ら
ー
さ く ら
ー
さ く
mf
f

らのー　ー　はなーびら　ー　さくら　ー　さく
ら　ー　さくら　さくらの　はー　な　び
ら　ー
rit.

歌曲「さくらの花びら」

田沢節子

さくら　さくらのつぼみの
よりそう花びら　開く時
喜びの　笑顔いっぱい
あふれ出す
さくら　さくら
うす紅の　やさしさが
人の心に　しみる花

さくら　さくらの花びら
紅色ぼんぼり　ともる時
胸ふかく　はるかな思い
湧きあがる
さくら　さくら
もんわりと　夜空そめ
人の心を　ゆする花

さくら　さくらの花びら
ふんわり舞い散り　水の上
未来への　望みをのせた
花いかだ
さくら　さくら
光うけ　流れゆき
人の心を　つなぐ花

＊さくらの花びら（繰り返し）

いらっしゃい

田沢節子　作詞
矢賀部竜成　作曲
加藤朋子　採譜

♩=72
mp
mp
1.かき　のはな　が　さきました　ころころしろ　い　すずのはな　い
2.この　はあか　く　そまるころ　こどものほほ　も　ピンクいろ　い
3.かき　がいっぱ　い　ゆきのそら　ツンツクことり　が　ついばんで　い
mp
らっしゃい　いらっしゃいな　こぼれたはな　に　いととおし　ブレ
らっしゃい　いらっしゃいな　ひらひらおち　ば　てにとって　この
らっしゃい　いらっしゃいな　あかいみゆれ　る　きのしたで　ゆき

to 𝄌
スレットをつくりましょうよ
はにんぎょうつくりましょうよ
のうさぎをつくりましょう
1.
2.

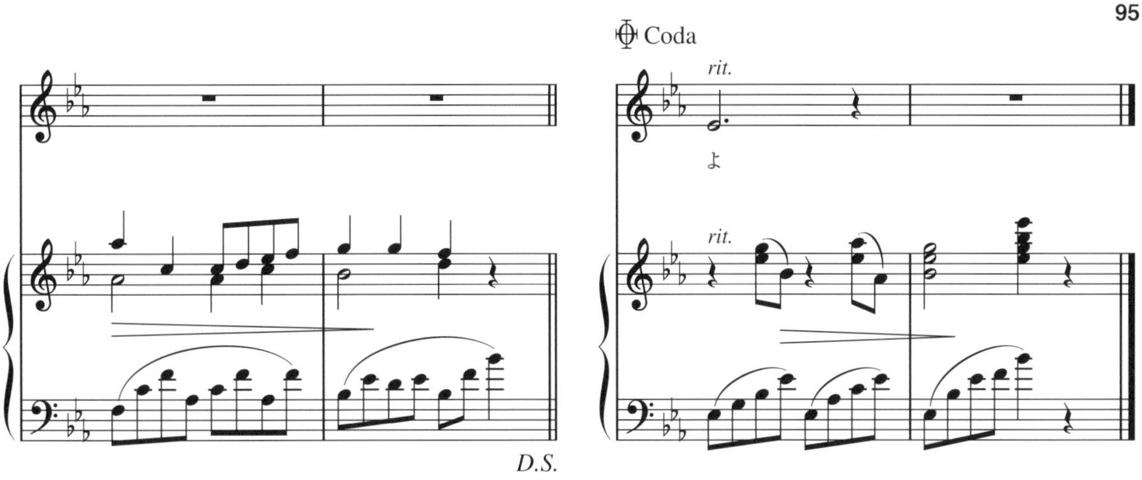

いらっしゃい

田沢節子

柿の花が　咲きました
ころころ白い　鈴の花
いらっしゃい　いらっしゃいな
こぼれた花に　糸通し
ブレスレットを　つくりましょうよ

木の葉赤く　染まるころ
子どものほほも　ピンク色
いらっしゃい　いらっしゃいな
ひらひら落ち葉　手にとって
木の葉人形　作りましょうよ

柿がいっぱい　雪の空
ツンツク小鳥が　ついばんで
いらっしゃい　いらしゃいな
赤い実ゆれる　木の下で
雪のうさぎを　作りましょうよ

砂漠のほほえみ

田沢節子　作詞
丘　タケオ　作曲
猪股義周　編曲

1. らくだは いつーでもー やさしいひとみ どんな
2. らくだは いつーでもー やさしいひとみ どんな
3. らくだは いつーでもー やさしいひとみ どんな
ときーでも ほほえーんで にもつ はこぶ
ときーでも ほほえーんで ひとを はこぶ
ときーでも ほほえーんで ゆめを はこぶ
さばくの ふねーよ カランコロン カランコ
さばくの ふねーよ カランコロン カランコ
さばくの ふねーよ カランコロン カランコ
ロン やけた さばーくにー すずのね ひびく
ロン こうさ のもーやにー すずのね ひびく
ロン すなの うなーばらー すずのね ひびく
まぼろしの みずうみ しんきろ
すなあらし のうずまき きえるみ
あかねぞら ゆうひに こがねい
う ひとみの おくーにはー オアシスの わ
ち ひとみの おくーにはー むらのぶど う
ろ ひとみの おくーにはー とおいひの お
きみず カランコロン カランコロン
ばたけ カランコロン カランコロン
もいで カランコロン カランコロン

砂漠のほほえみ

田沢節子

らくだはいつでも　やさしい瞳
どんな時でも　ほほえんで
荷物はこぶ　砂漠の船よ
カランコロン　カランコロン
焼けた砂漠に　鈴の音《ね》響く
まぼろしの湖　しんきろう
瞳の奥には　オアシスのわき水
カランコロン　カランコロン

らくだはいつでも　やさしい瞳
どんな時でも　ほほえんで
人をはこぶ　砂漠の船よ
カランコロン　カランコロン
黄砂のもやに　鈴の音響く
砂嵐うずまき　きえる道
瞳の奥には　村のぶどうばたけ
カランコロン　カランコロン

らくだはいつでも　やさしい瞳
どんな時でも　ほほえんで
夢をはこぶ　砂漠の船よ
カランコロン　カランコロン
砂のうなばら　鈴の音響く
茜空夕日に　黄金色
瞳の奥には　遠い日の思い出
カランコロン　カランコロン
カランコロン　カランコロン…

しゃら

田沢節子

しゃらの木の花　白い花
花嫁さんの　ドレスから
こぼれて落ちた　絹の花
恥ずかしそうに　咲いている

しゃらの木の花　白い花
ぽとりとおちて　池の上
小舟になって　誰を待つ
木漏れ日あびて　ゆれている

しゃらの木の花　白い花
ぽとり手のひら　包まれて
ちょうちょになったら　どこへ行く
教会の鐘　鳴り響く

しゃら

田沢節子　作詞
矢賀部竜成　作曲
加藤朋子　採譜

♩=46
p
mp
mp
1.しゃ ら の き の は な し ろ い は な
2.しゃ ら の き の は な し ろ い は な
3.しゃ ら の き の は な し ろ い は な

はなよりめさんの ドレスから
ぽとりとおちて いつのまにかうえて
ぽとりてのひら つけつまれて
こぼれておちた きぬのはな
こぶねになーって だれをまつ
ちょうちょになったら どこへいく
はずかしそうに さいていいる
こもれびあびて ゆれてい
きょうかいのかね なりひび
to
1.
p

2.
る
mf
D.S.
Coda
く
8va
p
8va

歌曲「旅にでると」

田沢節子　作詞
長谷川久美子　作曲

11
こ え て も ー
きれめのないたたかいの
14
くさりが
の びつづけている
pp
rit.
かなし さ ーをー
p
pp
rit.
Ped.
Ped.
18
a tempo
mf
ちゅうせ い の
しろあ とに
a tempo
mp
Ped.
Ped.
Ped.
Ped.
simile
21
たたずみながら
ドナウ の か わ の
な が れに
Ped.
simile

24
mp
ゆ ーれな ーが ら ー きょう かいから
pp
27
も ーれる う た ご え き
Ped. Ped.
30
recitativo secco
き な が ら ー おもう おもう ー
mp
Ped. Ped. Ped.
34
mf
お も う ー と きをくにを
poco a poco cresc.
mf
Ped. Ped. Ped. Ped.

37
affett.
こ えて も　ひ と の い の り は ー
più p
dolce
poco a poco cresc.
Ped.
simile
40
poco rit.
お な じ だ と
8va
mf
43
♩.=44
p
simile
46
mp
い こ く の ほ し ぞ ら　な が め な が ら

49
marc.
おもい ーだす
たたかわずし
marc.
52
rit.
て じゆう を かちとった
più p
rit.
55
a tempo
mormorando
poco rit.
くにの ひとびとが いた ことを
a tempo
pp
poco rit.
59
Allegro Moderato (♩=116)
f marc.
うたい ながら て と てを
Allegro Moderato (♩=116)
f marc.
simile

64
つ な い だ ひ と の く さ り が
legato
68
marc.
た た か い の く さ り を きっ た こ と て と て
marc.
cresc.
cresc.
72
を つ な い だ ー
ff
77
Largo
mf
recitativo secco
at fine
あ た た か い ひ と
Largo

のくさりがー　いま　のびつづけてー
いくことを　いのる
ー　いのるー　ゆめみるー
ゆめみるー
poco rall.
dim. e poco rall.

歌曲「旅にでると」

田沢節子

旅にでると
考える　考える　考える
時を　国を　越えても
切れ目のない　戦いの鎖が
伸び続けている　悲しさを

中世の城跡に　佇みながら
ドナウの川の流れに　ゆれながら
教会から　もれる
歌声　聞きながら
思う　思う　思う
時を　国を　越えても
人の祈りは　同じだと

異国の星空　ながめながら
思い出す
戦わずして　自由を勝ち取った
国の人々が　いたことを
歌いながら　手と手をつないだ　人の鎖が
戦いの鎖を　切ったことを

手と手をつないだ　あたたかい人の鎖が
今　伸び続けていくことを
祈る　祈る　夢見る　夢見る

穂高の子守歌

田沢節子

穂高の峰に　夕陽が沈むころ
山の小鳥は　おねんねよ
夢を追いかけ　疲れた小鳥よ
峰をつないだ　虹の橋渡り
ほら　おねむりよ

穂高の峰が　夜露にぬれるころ
岩のおだまき　おねんねよ
風に雲間に　ささやくお花よ
霧にいだかれ　小首をかしげて
ほら　おねむりよ

穂高の峰が　茜に染まるころ
森のカモシカ　おねんねよ
星がこぼれる　落ち葉のおふとん
明日を奏でる　夢のコカリナが
ほら　やすらかに

穂高の子守歌

田沢節子　作詞
矢賀部竜成　作曲
加藤朋子　採譜

♩=74
8va
p
mp
1.ほたかのみ ね に ゆうひがしずむこ ろ
2.ほたかのみ ね が よつゆにぬれるこ ろ
mp
やまのことりは おねんねよ ゆ めをおいかけ つ かれたこと り
いわのおだまき おねんねよ か ぜにくもまに さ さやくおは な

13
よ　み ね を つ な い だ に　じ の は し わ　た　り
よ　き り に い だ か れ こ　く び を か し　げ　て
17
1.
2.
ほ　ら　お ね む り　よ　よ
ほ　ら　お ね む り
21
25

29
3.ほたかのみ ね が
あかねにそまるこ ろ
33
もりのカモシカ おねんねよ ほ しがこぼれる お ちばのおふ と
37
ん あすをかなでるゆ めのコカリ ナ が
41
ほ ら やすらかに
rit.
rit.
8va

ミズクラゲ

田沢節子　作詩
たま・みゆき　作曲

♩=92 夢みるように
C
F
1.ミ ズ ク ラ ゲ は　う み に う か ぶ　し ろ い か
2.ミ ズ ク ラ ゲ は　う み に し ず む　しゃぼ ん だ
Em
F
Em
Dm
F
さ
ま
ぷ か ぷ　か　ふ よ ふ　よ　く ー　わ く　わ
G
Dm
C
A7
Dm
ふ わ ふ　わ　ふ わ り　ひ ら ひ ら ひ ら　り　ミ ズ ク ラ ゲ の

C E E7 Am
ふ る さ と は
と お い と お い う ちゅ う の か な
あ お い あ お い う ちゅ う の か な
G C F D
た ー き っとね きっ とね う み が
た ー それ はね それ はね う み に
G Dm
1.
G
だ い す き な う ちゅ う じ ん
さ そ わ れ た う ちゅ う じ
2.
G Fm C D♭
ん 3.ミ ズ ク ラ ゲ は ミ ズ ク ラ ゲ は

C Fm C Fm C
う ちゅ う へ う ちゅ う へ い ま は も う
さわやかに
Fm Dm F
か え れ な い う ちゅ う じ ん ミ ズ ク ラ ゲ は ふ わ ふ わ
C A Dm F A♭
ミ ズ ク ラ ゲ は ぷ か ぷ か ひ ら ひ ら ひ ら ふ わ り
Adim C
ー
8va

ミズクラゲ

田沢節子

ミズクラゲは
海に浮かぶ　白い傘
ぷかぷか　ふよふよ　くーわくわ
ふわふわ　ふわり　ひらひらひらり
ミズクラゲの　ふるさとは
遠い遠い　宇宙のかなた
きっとね　きっとね
海が好きな　宇宙人

ミズクラゲは
海に沈む　しゃぼんだま
ぷかぷか　ふよふよ　くーわくわ
ふわふわ　ふわり　ひらひらひらり
ミズクラゲの　ふるさとは
青い青い　宇宙のかなた
それはね　それはね
海にさそわれた　宇宙人

ミズクラゲは
ミズクラゲは
宇宙へ　宇宙へ
いまは　もう帰れない　宇宙人
ミズクラゲは　ふわふわ
ミズクラゲは　ぷかぷか
ひらひらひら　ふわり

みちくさ よりみち まわりみち

田沢節子

ごめんねママ　まっすぐ帰ろうとしたの
でもね　ブランコが私を待っていたの
だから　ちょっぴり　みちくさしたの
ブランコいっぱい　こいだらね
雲の上に　とどいたよ
ごめんね　ママ

ごめんねママ　まっすぐ帰ろうとしたの
でもね　すて猫がミイミイないていたの
それで　ちょっぴり　よりみちしたの
黒猫そうっと　だいたらね
腕の中で　ねちゃったの
どうする？　ママ

ごめんねママ　まっすぐ帰ろうとしたの
でもね　違う路地入ってみたかったの
それで　ちょっぴり　まわりみちしたの
知らないところに　いるようで
ドキドキって　したんだよ
ごめんね　ママ

みちくさ よりみち まわりみち

田沢節子　作詞
柳井和郎　作曲

Sempre dolce (♩=88くらい)
mp
1. ご めん ね マー マ まっ すぐ か え ろ う と
し た の で も ね ブ ラ ン コ ー が わ た し を まっ て い た
し た の で も ね す て ね こ ー が ミ イ ミ イ ない て い た
し た の で も ね ち が う ろ ー じ は い ー って み たかった
の だ か ら ちょ ー っ ぴ ー ー ー り み ち ー く さ
の そ れ で ちょ ー っ ぴ ー ー ー り よ り ー み ち
の そ れ で ちょ ー っ ぴ ー ー ー り ま わ り み ち

cresc.
しーたーのブランコいっぱーいこいだら
しーたーのくろねこそうーっとだいたら
しーたーのしらないところーにいるよう
cresc.
mp
ねーくものうえにとどいたよごめんねーマ
ねーうでのなかでねちゃーったのどうする?ーマ
でードキドキーってしたんだよごめんねーマ
マ
マ
マ
mp
p
1. 2.
3.
rit.
2. ご
3. ご
rit.

索　引

田沢節子

長野県安曇野市穂高出身
創作児童文学の同人を経て、童謡詞の創作に取り組む。
「てんぐのくしゃみ」を初リリース
日本国際童謡館から「砂漠のほほえみ・あんよは『ふ』の字」「いらっしゃい」「しゃら」「私のおばあちゃん」を発売
著書、ジュニアポエム「わき水ぷっくん」　銀の鈴社
日本童謡協会会員。全日本児童音楽協会会員。金の鳥音楽協会会員。

童謡・コーラスから 抒情歌まで

一輪ざし　田沢節子 作品集

令和2年4月13日第1版

発　行　株式会社ハンナ
東京都目黒区中目黒3-6-4中目黒NNビル2F
電話　03-5721-5222

表紙・本文イラスト　田沢節子
扉　絵　松藤音色

製　作　株式会社ホッタガクフ

日本音楽著作権協会　許諾第1901503-901号
(許諾番号の対象は、当該出版物中、当協会が許諾することのできる著作物に限られます。)